CRAAASH!
Woof!
Woof!
Ka Boom!
BAM!
CRAAASH!
BAM!
Woof!
BAM!
CRAAASH!
Ka Boom!
CRAAASH!
Woof!
BAM!

hachette
JEUNESSE

© 2009 Disney Enterprises, Inc.

Adaptation: Alessandro Sisti
Design : Elisabetta Melaranci
Nettoyage : Mattia Guberti
Mise en couleur : Mara Damiani, Andrea Cagol,
Maria Claudia Di Genova
Assistants : Gianluca Barone, Maurizio De Bellis, Danilo Loizedda,
Silvano Scolari, Luca Usai, Patrizia Zangrilli, Elisabetta Sedda
Optimisation : Stefano Attardi, Kawaii Creative Studio

Imprimé en France - n° L50133 – Dépôt légal juillet 2009
Edition 01 – ISBN 978-2-01-463397-9
Loi n°46-956 du 16 juillet 1949 sur les publications destinées à la jeunesse.

Pour tout renseignement concernant nos parutions,
nous contacter par téléphone au 01 43 92 38 88
ou par e-mail : disney@hachette-livre.fr

... EST SEMÉE D'EMBÛCHES.

VOLT ! VROUM, VROUM !

BOING

SFRRCHZZ

SWIIS...

VROOOOMMMM

TLACK

SKREEEK!

UNE MINE, VOLT, **VA CHERCHER** !

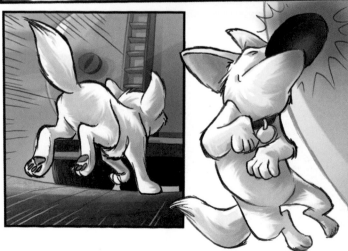

SFRRCHZZ

AAAH !

ET MEC, ON VA S'AMUSER UN PEU ET MONTRER À VOLT QUI EST LE MAÎTRE !

SALUT, BOULE DE POILS !

HÉ-HÉ-HÉ ! TU AS PEUT-ÊTRE GAGNÉ AUJOURD'HUI...

... MAIS AU FINAL, ON AURA TA CHÈRE PETITE PENNY !

MÊME PAS EN RÊVE, LE CHAT ! TU AS CHOISI LA VOIE DU **MAL** !

TU VOIS, J'AVAIS RAISON !

CELA TE **DÉTRUIRA TOI**, ET TON MAÎTRE DE PACOTILLE !

PENNY EST FINIE ! L'HOMME À L'ŒIL VERT A UN PLAN QU'IL NE VA PAS TARDER À **EXÉCUTER** !

ET ENSUITE, IL L'EXÉCUTERA **ELLE** !

JOLI !

J'AI UN MESSAGE POUR L'HOMME À L'ŒIL VERT !

C'EST LONG ? CAR J'AI UNE TRÈS MAUVAISE MÉMOIRE.

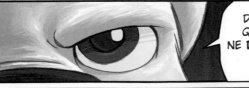

DIS-LUI QUE JE NE **DORMIRAI** PAS

AVANT QUE PENNY NE SOIT SAUVÉE DES GRIFFES DU MAL !

JE VAIS FAIRE DE MON MIEUX. CIAO.

IL EST TROP FORT... **JE SUIS FAN !**

UNE NOUVELLE JOURNÉE DE TOURNAGE POUR VOLT ET PENNY...

TU ES PRÊT, VOLT ?

... ET POUR L'ÉQUIPE.

TRAVELLING, CAMÉRA TROIS. PLAN QUATRE SUR LES CONDUCTEURS.

PENNY ET VOLT PÉNÈTRENT DANS LA JUNGLE DU DR. CALICO.

MAIS LEUR VRAIE CIBLE EST LA **SALLE DES ORDINATEURS.**

CAMÉRA SEPT !

LE **SUPER ORDINATEUR** DU DR. CALICO !

EN Y ACCÉDANT, ON POURRA SAVOIR OÙ MON PÈRE EST RETENU PRISONNIER.

CETTE PETITE ASTUCE VA NOUS PERMETTRE DE PÉNÉTRER DANS LA PIÈCE.

TLING

OW !

HÉ HÉ ! UNE PIÈCE

BONK

LES ARMES SONT PRÊTES.

ON LANCE LA CHALEUR !

THUD

CLACK

VOLT, ATTENTION !

O.K., VOLT ! DIRECTION LA SALLE DES ORDINATEURS !

SSSSSS

AAH !

BIEN JOUÉ, VOLT !

BONK

ET MAINTENANT... ESSAYONS D'ACCÉDER À L'ORDINATEUR GÉNÉRAL...

VITE, VITE...

THUD

NON !

QUELQU'UN A COUPÉ LE COURANT !

LE CAISSON MÉTALLIQUE OÙ EST ENFERMÉE PENNY !

TIENS BON, PENNY. J'ARRIVE !

BONK

VROOOOOOOM

VOLT A VOYAGÉ DES HEURES AVEC LE COURRIER.

ARGH, UN CHIEN !

BIZARRE...

THUMP THUMP

J'AURAI TA PEAU, DR. CALICO !

ÇA ALORS...

23

... QUAND NOUS AURONS RETROUVÉ PENNY.

PARDON ?

CE N'ÉTAIT PAS NOTRE CONTRAT !

LE CONTRAT VIENT JUSTE D'EXPIRER !

QUELLE IRONIE, ELLE M'A DIT LA MÊME CHOSE, IL Y A DIX MINUTES !

MEOWW

HMMM, PARFAIT.

UN CADENAS !

QU'EST-CE QUE TU FAIS ?

AVEC MON SUPER-REGARD, JE VAIS LE FAIRE FONDRE !

JE COMMENCE À ÊTRE TRÈS INQUIÈTE POUR LA SUITE !

PENDANT CE TEMPS, AUX STUDIOS...

J'AI D'EXCELLENTES NOUVELLES.

TU ES L'INVITÉE D'HONNEUR DE L'ÉMISSION DE **CE SOIR**...

... MAIS VOLT AYANT DISPARU, NOUS DEVONS ANNULER.

IL DOIT ÊTRE EFFRAYÉ.

ON PARLE DE VOLT, MON TRÉSOR.

RASSURE-TOI, IL NE DOIT PAS ÊTRE LOIN.

ALORS COMME ÇA, TU ES UN **SUPER-CHIEN** ?

QUEL EST TON PLUS GRAND SUPER-POUVOIR ? TU SAIS VOLER ?

NE SOIS PAS BÊTE, JE NE PEUX PAS VOLER.

ALORS, QUELS POUVOIRS AS-TU ?

J'AI MON **SUPER-OUAF...**

MAIS C'EST TOP SECRET, JE NE PEUX PAS EN PARLER. ALORS JE TE SUGGÈRE DE TE TAIRE ET DE M'EMMENER JUSQU'À PENNY.

ET D'UN CAMPING-CAR À UN AUTRE...

BRAVO !

THUD

OUAF ! OUAF !

OH !

...À UN AUTRE.

SALUT JOLI TOUTOU !

OUAF ! OUAF !

ES-TU VENU POUR DE DÉLICIEUSES QUENELLES DE GRAND-MÈRE !

...6 :11 LE TEMPS SERA NUAGEUX ; AU SECOURS DOCTEUR...

IL COUPE, IL TRANCHE ; VOUS VOULEZ PERDRE DU POIDS...

ATTENDS-MOI ICI, JE VAIS T'EN CHERCHER DE CE PAS.

HÉ, MEC, ATTRAPEZ-MOI CE CHIEN !

RAT RAT TA RAT TA TA TA RAT TA

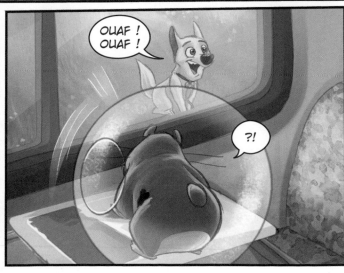

OUAF ! OUAF !

?!

ÇA DOIT FAIRE DES SIÈCLES QUE JE N'AI PAS AUSSI BIEN MANGÉ.

NE T'Y HABITUE PAS TROP VITE. NOUS DEVONS NOUS METTRE EN ROUTE.

MAIS C'EST LE PARADIS ICI ! QU'EST-CE QUI NE VA PAS CHEZ TOI ?

CHAQUE SEMAINE DE NOUVEAUX CAMPING-CARS ARRIVENT AVEC PLEIN DE NOURRITURE.

OH MON DIEU ! MON HÉROS !

TU ES VOLT LE SUPER-CHIEN !

TU CONNAIS CE CHIEN ?

JE NE CONNAIS QUE LUI, IL EST EXCELLENT !

ET TOI, QUI ES-TU ?

JE SUIS RHINO.

RHINO, LE HAMSTER.

MES ANCÊTRES NE SONT PAS TOUS DES HAMSTERS. MON PATRIMOINE EST COMPOSÉ POUR UN SEIZIÈME DE LOUP ET D'UN SOUPÇON DE GLOUTON. MAIS ÇA N'A RIEN À VOIR !

NOUS SOMMES ICI EN PRÉSENCE D'UNE SUPER LÉGENDE, VOLT, LE SUPER-CHIEN. IL COURT PLUS VITE QUE LES MISSILES ET PEUT FAIRE S'ÉCROULER DES GRATTE-CIELS AVEC SON SUPER-OUAF !

TU M'AS VU EN MISSION ?

OUI, JE SUIS FAN. JE TE REGARDE TOUT LE TEMPS.

JE SUIS POURTANT SUPER VIGILANT.

ELLE EST OÙ PENNY ?

ELLE A ÉTÉ KIDNAPPÉE PAR L'HOMME À L'ŒIL VERT !

MAIS J'AI CAPTURÉ LE CHAT !

UN AGENT DU BONHOMME À L'ŒIL VERT, JE SUPPOSE ?

À MORT, VERMINE !

DU CALME, RHINO.

ELLE NOUS SERA PLUS UTILE EN VIE.

« NOUS » ?

VOLT, PRENDS-MOI DANS TON ÉQUIPE, SANS MOI, T'ES UN HOMME SEUL.

JE SUIS RAPIDE COMME L'ÉCLAIR ET JE NE CRAINS PERSONNE QUESTION RÉFLEXE.

TU SAIS QU'IL Y AURA DE LA BAGARRE !

IL FAUDRA AFFRONTER LA BÊTE !

JE MANGE DU MÉCHANT TOUS LES MATINS AU PETIT-DÉJEUNER.

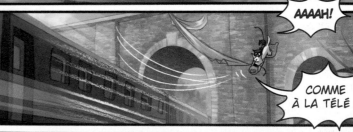

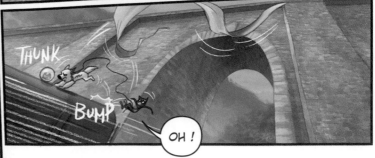

GNNN !

JE VAIS LÂCHER ! VOLT !

S N A P

LES TROIS COMPÈRES TOMBENT DU TRAIN...

...MAIS ILS SONT SAINS ET SAUFS... PLUS OU MOINS.

AIE !

ÇA FAIT MAL LE VRAI MONDE, N'EST-CE PAS ?

DESCENDS DE LÀ, LE CHAT !

JE VAIS CHERCHER UNE ÉCHELLE.

TU ES LA VEDETTE D'UN FEUILLETON. RIEN N'EST VRAI !

NE ME DIS PAS QUE TU CROIS À CE STUPIDE ÉCLAIR DANS TES POILS !

C'EST LA MARQUE DE MON POUVOIR.

C'EST LA MARQUE DES MAQUILLEURS.

TU ES GROTESQUE ! MON SUPER-OUAF VA TE FAIRE DESCENDRE DE CETTE BRANCHE.

DONNE TOUT CE QUE T'AS ! APRÈS TOUT, ÇA PEUT MARCHER.

TU NE ME LAISSES PAS LE CHOIX ! OUAF ! OUAF !

HEIN ?! SUPER-OUAF, SUPER FLIPPANT.

JKREEEK

?! OH, NON ! VOLT, TAIS-TOI.

OUAF !

RESTE TRANQUILLE.

TAIS-TOI !

34

VIENS ICI !

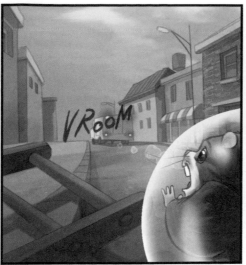

VRooM

AUX STUDIOS, PENNY SE DEMANDE TOUJOURS OÙ EST VOLT.

REGARDE QUI NOUS AVONS RETROUVÉ, JEUNE FILLE.

COMME PROMIS...

VOLT!

CE N'EST PAS VOLT !

ET BIEN, CELA DÉPEND DE LA FAÇON DONT TU LE REGARDES.

CE N'EST PAS LUI.

ÉCOUTE MA PETITE, JE VAIS ÊTRE FRANCHE AVEC TOI.

SI ON NE POURSUIT PAS LE TOURNAGE, DES PERSONNES VONT PERDRE LEUR TRAVAIL...

DES GENS BIEN, AVEC UNE FAMILLE. NOUS AVONS BESOIN QUE TU CONTINUES À JOUER ET QUE TU LAISSES VOLT FAIRE SA VIE.

MAIS LE « VRAI » VOLT VEUT RETOURNER À SA VRAIE VIE...

AAAARGGH !

ÇA DOIT ÊTRE DES BARREAUX EN POLYSTYRÈNE.

35

J'AI RÉUSSI. LE POLYSTYRÈNE EST UNE CHOSE MALFAISANTE.

AUCUNE PRISON, AUCUN BARREAU, NE RÉSISTENT À VOLT ET RHINO.

RHINO, QUE FAIS-TU ICI ?

J'AI SAUTÉ SUR LE CAMION DE LA FOURRIÈRE ET J'AI FAIT SAUTER LA PORTIÈRE.

TU... AS OUVERT LA PORTE ?

OUI, JE L'AI FAIT ! ALLONS CHERCHER NOTRE PRISONNIÈRE.

JE N'Y ARRIVERAI PAS.

QU'EST-CE QUE TU DIS ?

TU ES **VOLT** ! QUI A DÉTRUIT LE LABO SOUS-MARIN DE L'HOMME À L'ŒIL VERT !

RHINO, TU NE...

QUI L'A EMPÊCHÉ D'INFILTRER DES ROBOTS GYMNASTES AUX JEUX OLYMPIQUES ?

HEU...

C'EST TOI, VOLT !

PARTOUT DANS LE MONDE, LES ANIMAUX COMPTENT SUR TOI ! ILS ONT BESOIN D'UN HÉROS, VOLT. QUELQU'UN COMME TOI QUI COMBAT LE MAL !

ET MAINTENANT QUI VA SAUVER LE CHAT ?

MOI !

JE VAIS CHERCHER MA BOULE.

C'EST COMME LA FOIS OÙ TU T'ES INTRODUIT DANS LA BASE NAUTIQUE DE CALICO.

IL VA FALLOIR PROCÉDER UN PEU DIFFÉREMMENT.

O.K. MODE FURTIF.

BONSOIR, ESTHER.

BONSOIR, LLOYD.

LLOYD ?

LLOYD SPOONER, SI TU ESSAIES ENCORE DE ME FAIRE PEUR, JE RESSORS MA BOMBE ANTI-AGRESSION.

MENACE NEUTRALISÉE.

UN GARDIEN. IL FAUT L'ÉLOIGNER DE LA PORTE.

C'EST BON, JE M'EN OCCUPE !

BALLE ! BALLE ! BALLE ! BALLE !

STOP ! TAISEZ-VOUS !

MIAOU !

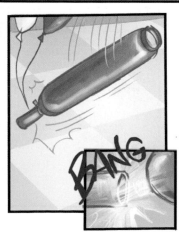

INCROYABLE ! UN VRAI SUPER-OUAF EN DIRECT, TU ES UNE LÉGENDE.

VITE, GRIMPONS DANS LE CAMION!

SI JE NE SUIS PAS UN SUPER-CHIEN DE GARDE, ALORS QUI SUIS-JE EXACTEMENT ?

UN CHIEN ORDINAIRE ET C'EST GÉNIAL !

QU'EST-CE QUE FAIT UN CHIEN ?

BAVER, DORMIR, MORDILLER LES CHAUSSURES ! TU SAIS, LA PLUPART DES CHIENS VIVENT DANS DES ENDROITS COMME CELUI-CI, ET...

... ILS FONT DES CHOSES COMME...

QUOI ? BOIRE LÀ-DEDANS ? MAIS... MAIS...

AAH ! ET PENDANT LES LONGUES SOIRÉES D'HIVER, ILS RESTENT AU COIN DU FEU !

TU SEMBLES BIEN CONNAÎTRE CE GENRE D'ENDROIT.

OUI, J'Y AI VÉCU UN TEMPS, MAIS CE N'ÉTAIT PAS FAIT POUR MOI.

RHINO EST FORMIDABLE !

RHINO EST VRAIMENT FORMIDABLE !

IL EST ARCHI-MÉGA-FORMI-FORMIDABLE ! IL EST...

OOH, UNE BOUFFÉE D'AIR, C'EST AGRÉABLE !

JE CROIS QU'IL EST TEMPS DE TE MONTRER UN VRAI TRUC DE CHIEN !

PASSE LA TÊTE DEHORS.

POURQUOI ?

TU VERRAS.

C'EST VRAIMENT GÉANT !

PENDANT LE VOYAGE, MITTENS ENSEIGNE À VOLT TOUT CE QU'ELLE SAIT DES CHIENS ORDINAIRES.

JUSQU'À CE QUE VOLT ET SES AMIS ARRIVENT À LAS VEGAS.

41

IL EST PARTI...

VOLT... EST PARTI SANS **MOI** ?

BONJOUR, LE CHAT, OÙ EST VOLT ?

IL M'A DEMANDÉ DE TE DIRE QU'IL ALLAIT AFFRONTER SEUL L'HOMME À L'ŒIL VERT.

OÙ VAS-TU ?

REJOINDRE VOLT, J'AI VU ÇA DES MILLIERS DE FOIS.

UN HÉROS DOIT AFFRONTER CERTAINES ÉPREUVES SEUL.

MAIS VOLT M'A APPRIS QUELQUE CHOSE, C'EST DE NE JAMAIS ABANDONNER UN AMI DANS LE BESOIN.

INCROYABLE ! **VOLT !**

PENDANT CE TEMPS EN CALIFORNIE, VOLT DESCEND DU CAMION.

ET MEC, ON EST TES PLUS GRANDS FANS.

JE SUIS BLAKE. VOICI MON SCÉNARISTE, TOM ET BILLY, NOTRE ASSISTANT PERSONNEL.

SI TU AS UNE PETITE SECONDE, NOUS AIMERIONS TE FAIRE PART D'UNE IDÉE POUR UN ÉPISODE !

LES **ALIENS**. LE PUBLIC ADORE LES ALIENS.

DES ALIENS ?

ACCOMPAGNEZ-MOI JUSQU'À MA MAÎTRESSE, PENNY ET JE SERAI RAVI DE VOUS ÉCOUTER.

AUX STUDIOS ? BIEN SÛR !

ON AURA DE QUOI GRIGNOTER ?

VOLT ARRIVE AUX STUDIOS DE TÉLÉVISION...

NOUS AVONS DÉJÀ TROUVÉ LA CHANSON POUR LE GÉNÉRIQUE DE FIN.

ON DOIT ENCORE RENCONTRER TON ÉQUIPE.

... MAIS IL IGNORE QUE SES AMIS NE SONT PAS LOIN.

ON Y EST ! L'ENDROIT LE PLUS TERRIFIANT DE LA TERRE !

NOUS SOMMES DANS LE REPAIRE DE L'HOMME À L'ŒIL VERT.

RHINO... IL VA FALLOIR QUE TU COMPRENNES QUE...

... PARFOIS LES CHOSES NE SONT PAS CELLES QUE L'ON IMAGINE...

DE NOMBREUSES ANNÉES, JE ME SUIS PRÉPARÉ POUR CE GRAND MOMENT !

À MORT, À MORT !

JE VAIS TE BROYER LES OS ET...

OH, LE PETIT HAMSTER !

SQUEAK SQUEAK

IL EST VRAIMENT ADORABLE...

VOLT ?

PENNY ?

AH, PROFESSEUR, JE CROIS QUE VOUS N'AVEZ PLUS LE CHOIX. RÉVÉLEZ VOS INVENTIONS GÉNIALES.

JE NE FERAI JAMAIS UNE CHOSE PAREILLE, CALICO.

À MOINS QUE CELA NE SOIT LA SEULE MANIÈRE DE SAUVER VOTRE PETITE PENNY.

PENNY !

PAPA !

GRRROWL !

ATTRAPEZ CE CHIEN !

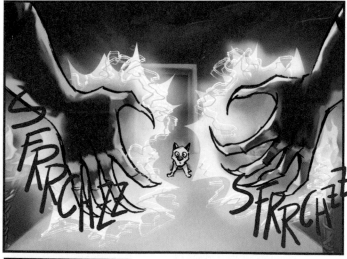

!

♪ BIP ♪

OUAF ! OUAF !

AU FEU ! AU FEU !

PENDANT CE TEMPS, MITTENS A RETROUVÉ LE VÉRITABLE VOLT.

VOLT, QUE FAIS-TU ICI ? POURQUOI N'ES-TU PAS À L'INTÉRIEUR ?

46

« PENNY ! »

47

48

OUAF !
OUAF !

LE **SUPER-ABOIEMENT** !
LE **SUPER-ABOIEMENT** !

PAR ICI ! NOUS LES AVONS RETROUVÉS !

GRÂCE AU COURAGE DE VOLT, PENNY EST SAUVÉE.

ELLE EST STABLE. NOUS ALLONS L'EMMENER À L'HÔPITAL POUR FAIRE QUELQUES EXAMENS.

NE T'INQUIÈTE PAS MA CHÉRIE, TOUT VA BIEN SE PASSER.

VOLT...

PENNY ET VOLT SONT ENFIN RÉUNIS.

VOLT N'A PAS ÉTÉ LE SEUL HÉROS DANS CETTE HISTOIRE – MITTENS ET RHINO LES SUIVENT AVEC UNE PETITE COMBINE BIEN À EUX.

JE NE PEUX IMAGINER CE QUE VOUS ÊTES EN TRAIN DE VIVRE.

MA PAUVRE PENNY...

MAIS J'AI DÉJÀ PLEIN DE PROJETS POUR NOUS, JE PARLE BIEN SÛR **D'UNE NOUVELLE SÉRIE TÉLÉ**...

SORTEZ DE LÀ.

ATTENDEZ ! DISCUTONS-EN !

JE CRAINS QUE VOS BLESSURES NE SOIENT **PLUS GRAVES** QUE PRÉVUES.

NOUS DEVONS RECONSTRUIRE **VOTRE VISAGE** !

AU MOINS, CALICO NE ME **RECONNAÎTRA PLUS** !

CALICO

HÉ, HÉ, HÉ...

VOLT!

TUMP

CRASH